LES MONSIEUR MADAME
au Pays Magique

Collection
MONSIEUR MADAME PAILLETTES

MONSIEUR   MADAME

Publié pour la première fois par Egmont sous le titre : *Mr. Men Adventure in Magicland*, en 2018.
MONSIEUR MADAME™ Copyright © 2018 THOIP (une société du groupe Sanrio). Tous droits réservés.
Mr. Men Adventure in Magicland © 2018 THOIP (une société du groupe Sanrio). Tous droits réservés.
Les Monsieur Madame au Pays Magique © 2018 THOIP (une société du groupe Sanrio). Tous droits réservés.

LES MONSIEUR MADAME
au Pays Magique

Roger Hargreaves

Écrit et illustré par Adam Hargreaves

hachette
JEUNESSE

Un matin, madame Magie décida d'emmener tous ses amis faire un voyage. Mais elle ne voulut pas leur dire où ils allaient… C'était une surprise !

Et la première surprise fut le moment où elle apparut devant eux à l'arrêt de bus… sur un tapis volant !

Aussitôt, tout le monde grimpa sur le tapis.

Ils volèrent au-dessus de la Bizarrance,
du Pays du Sourire et de la Glaçonie
jusqu'au…

... Pays Magique !

C'était, bien sûr, l'endroit préféré de madame Magie.

– Surprise ! s'écria-t-elle en arrivant.

Je pense que tu ne seras pas surpris d'apprendre
que tout était magique au Pays Magique.

Les arbres pouvaient marcher.

Les cochons pouvaient voler.

Les fleurs pouvaient parler.

Et même le ciel brillait de magie.

– Votre attention, s'il vous plaît, annonça madame Magie. Je voudrais vous présenter un ami.

Ils regardèrent autour d'eux mais ne virent personne. De qui parlait madame Magie ?

Soudain, il y eut un éclair et un nuage de fumée rose.

– Voici Sorcier Wilf ! finit-elle par dire en leur désignant un petit magicien à l'air joyeux qui apparut enfin devant eux.

– Sorcier Wilf sera notre guide à travers le Pays Magique, expliqua madame Magie.

– Vous ne ressemblez pas plus à un sorcier que moi, se moqua monsieur Malpoli.

– Pourtant, je peux vous promettre que j'en suis un, répondit Sorcier Wilf.

– D'accord, alors prouvez-le ! répondit monsieur Malpoli.

Sorcier Wilf sortit sa baguette et murmura une formule magique.

En un éclair, monsieur Malpoli se transforma en grenouille.

– Vous l'avez voulu ! se mit à rire Sorcier Wilf.

– Nous avons une longue route à faire, annonça Sorcier Wilf. Je vous propose d'enfiler ces paires de bottes magiques. Chaque pas que vous ferez avec sera plus grand que n'importe lequel des plus grands pas que vous avez déjà faits. Suivez-moi tous !

Monsieur Lent, qui marchait d'habitude à l'allure d'un escargot, n'en crut pas ses yeux quand il réussit à traverser une rivière en un seul pas.

Monsieur Grand n'eut pas besoin de ces bottes. Ses pas étaient déjà assez grands.

Ils se mirent en route, en suivant Sorcier Wilf. Grâce à leurs bottes magiques, ils arrivèrent rapidement jusqu'à un champ dans lequel se promenait une licorne. Mais ce n'était pas tout ! Il y avait aussi un griffon.

Et une vache. Une vache rose du Pays Magique !
Monsieur Pressé voulut savoir lequel était le plus rapide.
Alors, ils organisèrent une course dans le champ.
Et bien sûr, monsieur Pressé gagna.

Après leur course, ils arrivèrent devant un pont en bois qui traversait une rivière trop large, même pour leurs bottes magiques.

– Nous allons devoir trouver un autre moyen de traverser la rivière, dit Wilf. Car un troll maléfique vit sous ce pont et il mangerait le premier qui poserait son pied dessus.

Wilf sortit sa baguette et l'agita en l'air.

– Abracadabra ! s'écria-t-il.

Un arc-en-ciel apparut aussitôt et tout le monde put marcher dessus et traverser la rivière en toute sécurité.

Le troll fut très déçu.

Ils parvinrent enfin devant une jolie chaumière.

– Voici ma maison, leur dit Wilf. Déjeunons ici.

Monsieur Endormi était épuisé et s'effondra
sur le canapé en soupirant.

Mais il atterrit sur le sol. BOUM !

– Aïe ! s'écria-t-il.

Il n'en crut pas ses yeux : le canapé venait de bouger
tout seul. Monsieur Endormi essaya de s'asseoir
à nouveau.

Mais c'était un canapé magique qui n'avait pas du tout
envie que l'on s'assoit sur lui.

Au moment de se mettre à table, ce fut aussi
la pagaille totale car les plats et les cuillères
prirent la fuite.

Après le déjeuner, ils se rendirent dans les Montagnes Bleues, là où vivait une méchante sorcière dans une cave sombre et lugubre.

– Miam ! Je sens que quelque chose mijote, s'écria monsieur Glouton en se frottant le ventre.

En effet, un énorme chaudron était posé sur le feu.

Mais c'était le chaudron de la sorcière : un chaudron de sorcière rempli d'une potion magique faite à base d'ailes de chauves-souris, d'ongles de lézards, de scarabées et de vers de terre.

– Beurk ! s'écria monsieur Glouton en se penchant au-dessus du chaudron.

Mais il changea d'avis quand il aperçut une belle pomme rouge brillante dans un bol.

Il était sur le point de mordre dedans quand madame Magie hurla :

– STOP ! C'est une pomme empoisonnée !

– Il n'y a donc vraiment rien que je puisse manger, ici ? bougonna monsieur Glouton.

Et son ventre se mit à gargouiller.

Puis, madame Magie ouvrit le placard à balais magiques.

Chacun en prit un et se mit à voler.

Soudain, la méchante sorcière apparut dans un bruit de tonnerre et un nuage de fumée noire.

Elle était d'une humeur affreuse. Elle fronçait les sourcils, grondait et grinçait des dents. Elle faisait craquer ses doigts et criait de rage. C'était terrifiant ! Même monsieur Courageux tremblait !

Mais il s'avéra que ses bottes étaient trop serrées. Heureusement, après un bain de pieds et une tasse de thé, la sorcière devint aussi agréable qu'un jour de pluie… pas du tout méchante, malgré son caquètement désagréable.

Il fut bientôt temps de rentrer mais il y avait encore une chose que Wilf voulait leur montrer. Il les conduisit dans la forêt où se trouvait un puits à souhaits.

– Si chacun d'entre vous y jette une pièce, expliqua Wilf, vos vœux se réaliseront.

Alors chacun fit comme il dit et formula un vœu… sauf monsieur Avare, bien sûr !

Monsieur Avare n'était pas du genre à jeter son argent dans un puits !

Tout le monde remonta sur le tapis volant de madame Magie et dit au revoir à Wilf.

Ils rentrèrent chez eux et des choses incroyables commencèrent à se produire.

Monsieur Lent devint rapide.

Monsieur Atchoum cessa d'éternuer.

Madame Timide était pleine d'assurance.

Et monsieur Glouton trouva la plus grosse pomme que tu aies jamais vue.

Tous leurs rêves étaient devenus réalité.

Tout le monde était content.
Tout le monde sauf…

... monsieur Avare.

– Argh ! s'écria-t-il, en fronçant les sourcils. J'aurais dû jeter une pièce et en souhaiter deux !

RÉUNIS VITE LA COLLECTION ENTIÈRE

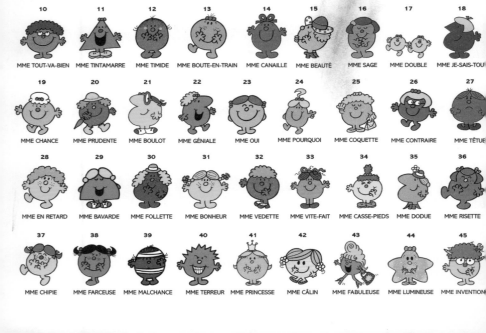

1. MME AUTORITAIRE
2. MME TÊTE-EN-L'AIR
3. MME RANGE-TOUT
4. MME CATASTROPHE
5. MME ACROBATE
6. MME MAGIE
7. MME PROPRETTE
8. MME INDÉCISE
9. MME PETITE
10. MME TOUT-VA-BIEN
11. MME TINTAMARRE
12. MME TIMIDE
13. MME BOUTE-EN-TRAIN
14. MME CANAILLE
15. MME BEAUTÉ
16. MME SAGE
17. MME DOUBLE
18. MME JE-SAIS-TOUT
19. MME CHANCE
20. MME PRUDENTE
21. MME BOULOT
22. MME GÉNIALE
23. MME OUI
24. MME POURQUOI
25. MME COQUETTE
26. MME CONTRAIRE
27. MME TÊTUE
28. MME EN RETARD
29. MME BAVARDE
30. MME FOLLETTE
31. MME BONHEUR
32. MME VEDETTE
33. MME VITE-FAIT
34. MME CASSE-PIEDS
35. MME DODUE
36. MME RISETTE
37. MME CHIPIE
38. MME FARCEUSE
39. MME MALCHANCE
40. MME TERREUR
41. MME PRINCESSE
42. MME CÂLIN
43. MME FABULEUSE
44. MME LUMINEUSE
45. MME INVENTION

DES **MONSIEUR MADAME**

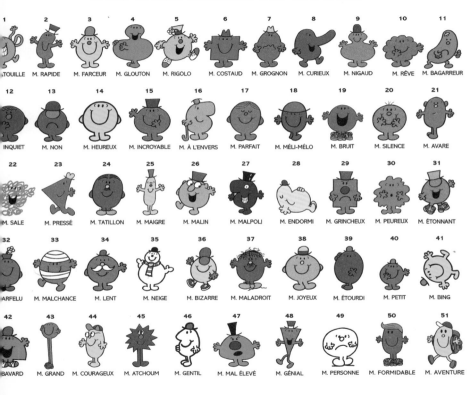

1	2	3	4	5	6	7	8	9	10	11
...TOUILLE	M. RAPIDE	M. FARCEUR	M. GLOUTON	M. RIGOLO	M. COSTAUD	M. GROGNON	M. CURIEUX	M. NIGAUD	M. RÊVE	M. BAGARREUR
12	13	14	15	16	17	18	19	20	21	
...INQUIET	M. NON	M. HEUREUX	M. INCROYABLE	M. À L'ENVERS	M. PARFAIT	M. MÉLI-MÉLO	M. BRUIT	M. SILENCE	M. AVARE	
22	23	24	25	26	27	28	29	30	31	
M. SALE	M. PRESSÉ	M. TATILLON	M. MAIGRE	M. MALIN	M. MALPOLI	M. ENDORMI	M. GRINCHEUX	M. PEUREUX	M. ÉTONNANT	
32	33	34	35	36	37	38	39	40	41	
...ARFELU	M. MALCHANCE	M. LENT	M. NEIGE	M. BIZARRE	M. MALADROIT	M. JOYEUX	M. ÉTOURDI	M. PETIT	M. BING	
42	43	44	45	46	47	48	49	50	51	
...BAVARD	M. GRAND	M. COURAGEUX	M. ATCHOUM	M. GENTIL	M. MAL ÉLEVÉ	M. GÉNIAL	M. PERSONNE	M. FORMIDABLE	M. AVENTURE	

Retrouve tous tes héros sur
www.hachette-jeunesse.com

Traduction : Anne Marchand Kalicky

Édité par Hachette Livre – 58 rue Jean Bleuzen, 92178 Vanves Cedex
Dépôt légal : juin 2018.
Loi n°49-956 du 16 juillet 1949 sur les publications destinées la jeunesse.
Achevé d'imprimer par Canale en Roumanie.